ZIRKUSHUNDE ROSCOE UND ROLLY

Zirkushunde Roscoe und Rolly

Geschichte von *Tuula Pere*
Illustrationen von *Francesco Orazzini*
Layout von *Peter Stone*
Deutsch übersetzung durch *Barbara Litzlfellner*

ISBN 978-952-325-064-2 (Hardcover)
ISBN 978-952-325-147-2 (Softcover)
ISBN 978-952-325-598-2 (ePub)
Zweite Auflage

Copyright © 2021 Wickwick Ltd

Herausgegeben 2021 durch Wickwick Ltd
Helsinki, Finnland

Circus Dogs Roscoe and Rolly, German Translation

Story by *Tuula Pere*
Illustrations by *Francesco Orazzini*
Layout by *Peter Stone*
German translation by *Barbara Litzlfellner*

ISBN 978-952-325-064-2 (Hardcover)
ISBN 978-952-325-147-2 (Softcover)
ISBN 978-952-325-598-2 (ePub)
Second edition

Copyright © 2021 Wickwick Ltd

Published 2021 by Wickwick Ltd
Helsinki, Finland

Originally published in Finland by Wickwick Ltd in 2015
Finnish "Sirkuskoirat Roope ja Rops", ISBN 978-952-325-058-1 (Hardcover), ISBN 978-952-325-558-6 (ePub)
English "Circus Dogs Roscoe and Rolly", ISBN 978-952-325-057-4 (Hardcover), ISBN 978-952-325-557-9 (ePub)

Wickwick books are available at special discounts when purchased in quantity for premiums and promotions as well as fundraising or educational use. Special editions can also be created to specification. For details, contact specialsales@wickwick.fi.

Zirkushunde Roscoe und Rolly

Tuula Pere • Francesco Orazzini

WickWick
Children's Books from the Heart

Roscoe, ein alter Zirkushund, spähte durch den Vorhang auf die hell erleuchteten Tribünen. Die Bankreihen waren mit fröhlichen Menschenmengen verpackt, die gespannt darauf warteten, das die Show anfing.

Roscoe war erfreut, heute Abend viele Kinder im Publikum zu sehen. Der alte Hund genoss es vor allem seine besten Tricks den Kleinen vorzuführen. Trotz seines Alters war er immer noch wild darauf auftreten zu dürfen. Was seinem Leben noch mehr Spaß bescherte war die Tatsache, dass er jetzt einen kleinen Lehrling, einen Welpen namens Rolly, an seiner Seite hatte.

Und da war Rolly nun auch und roch die aufregenden Düfte die in der Luft lagen, mit ihren kleinen Schwanz wedelte sie dabei hin und her.

Roscoe und Rolly waren ein herrliches Paar. Nach und nach hatten sie Tricks untereinander ausgetauscht. Rolly, die frech und lebendig war, führte die Tricks aus die mehr Beweglichkeit erforderten. Sie war jetzt diejenige, die über hohe Träger balancierte oder leicht durch brennende Reifen sprang.

Der alte Roscoe war froh, sich auf die friedlicheren Tricks konzentrieren zu können, insbesondere auf die, wo er bequem auf einem Kissen sitzen konnte und ein sanftes Bellen als Antwort auf Fragen geben konnte. Roscoe hatte immer noch einen guten Kopf für Zahlen.

Roscoe und Rolly waren alle beide Mischlinge, ohne besondere Ahnentafeln oder Auszeichnungen. Aber sie beide besaßen etwas, das viel wertvoller war - ein Herz aus Gold. Sie waren von einem Hauch von Freundlichkeit umgeben und ihre lustigen Tricks gefielen den Kindern wirklich sehr. Und das wiederum wurde vom Direktor des Zirkus geschätzt, denn zufriedene Massen bedeuteten wachsende Gewinne an der Abendkasse.

Roscoe wusste, dass der Direktor ein netter Mann war, aber zugegebenermaßen ein ziemlicher Pfennigfuchser. Jedes Mitglied des Zirkus musste sein Gehalt verdienen.

„Umsonst wird Niemand bezahlt", sagte der Direktor häufig.

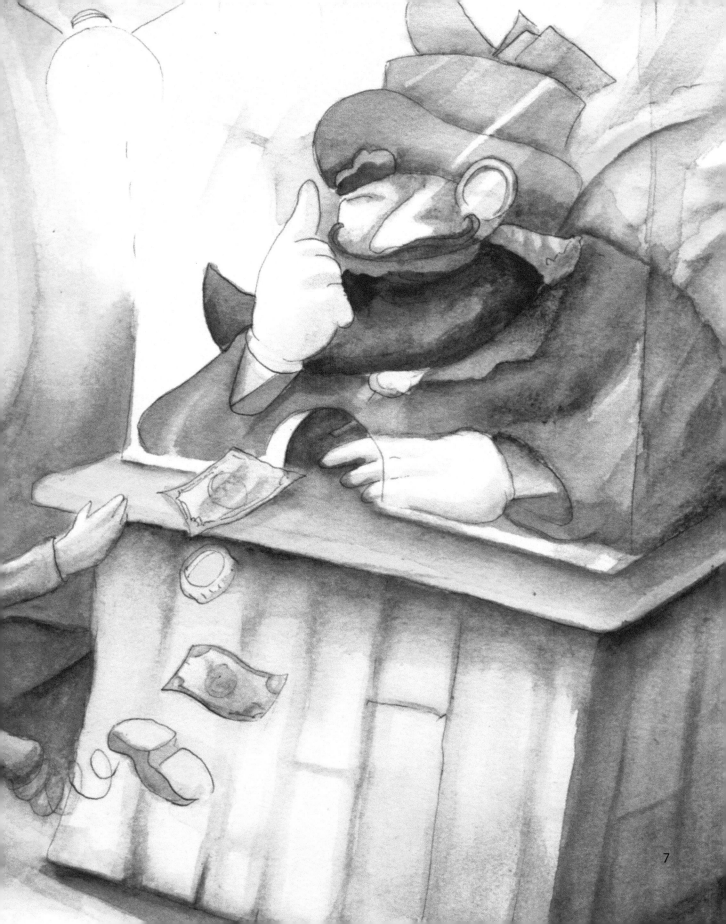

Die Tage vergingen und wieder einmal ging das Frühjahr in den Sommer und der Sommer in den Herbst über. Roscoe wurde von Tag zu Tag grauer; sein Mantel war nicht so dick und die Zähne nicht mehr so scharf, wie sie einmal waren.

Roscoe wäre trotz alledem zurechtgekommen, aber über all das hinaus bemerkte er, dass sein Augenlicht und Gedächtnis ebenfalls nachließen. Er war nicht mehr in der Lage, die Rechenaufgaben so schnell wie in seiner Blütezeit zu lösen. Durch all dies betrübt blieb Roscoe manchmal hinter der Bühne, kauerte nieder und war in Gedanken versunken.

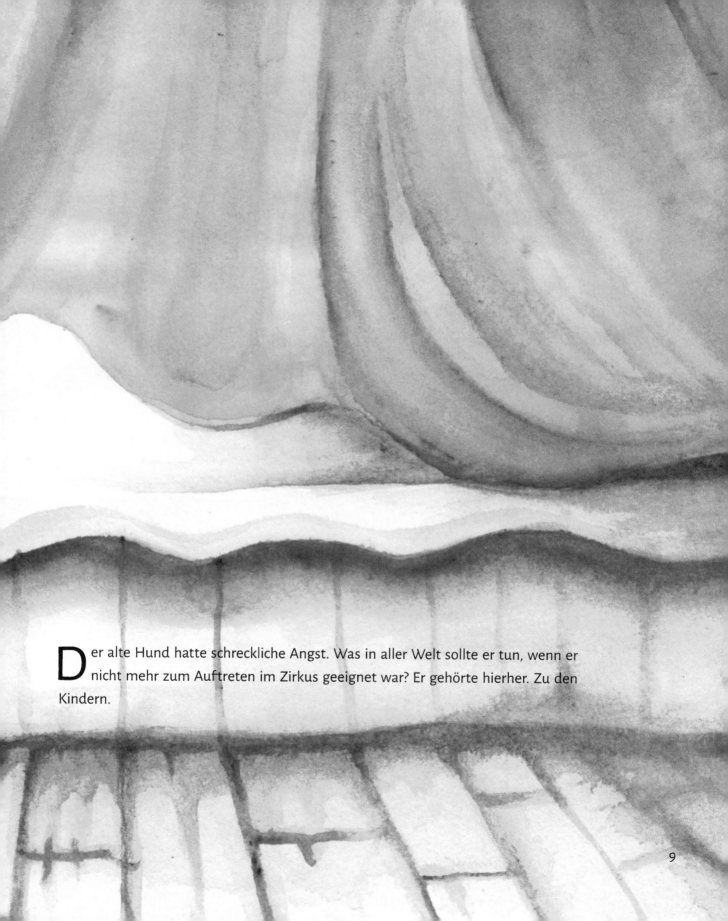

Der alte Hund hatte schreckliche Angst. Was in aller Welt sollte er tun, wenn er nicht mehr zum Auftreten im Zirkus geeignet war? Er gehörte hierher. Zu den Kindern.

Zum Glück hatte Roscoe den lebhaften kleinen Welpen Rolly, die ihm helfen würde. Sie war auf dem besten Weg, zu einem wundervollen Sidekick in den Shows zu werden. Die junge Rolly jedoch benötigte noch die Unterstützung eines erfahrenen Partners.

10

Rolly lernte schnell und war von Natur aus sehr schwungvoll. Aber manchmal konnte man durch die Position der Ohren und ihres Schwanzes sehen, das sie nervös war, vor das Publikum zu treten. Wann immer dies geschah, war die Hilfe und Beratung des alten und ruhigen Roscoe sehr wertvoll.

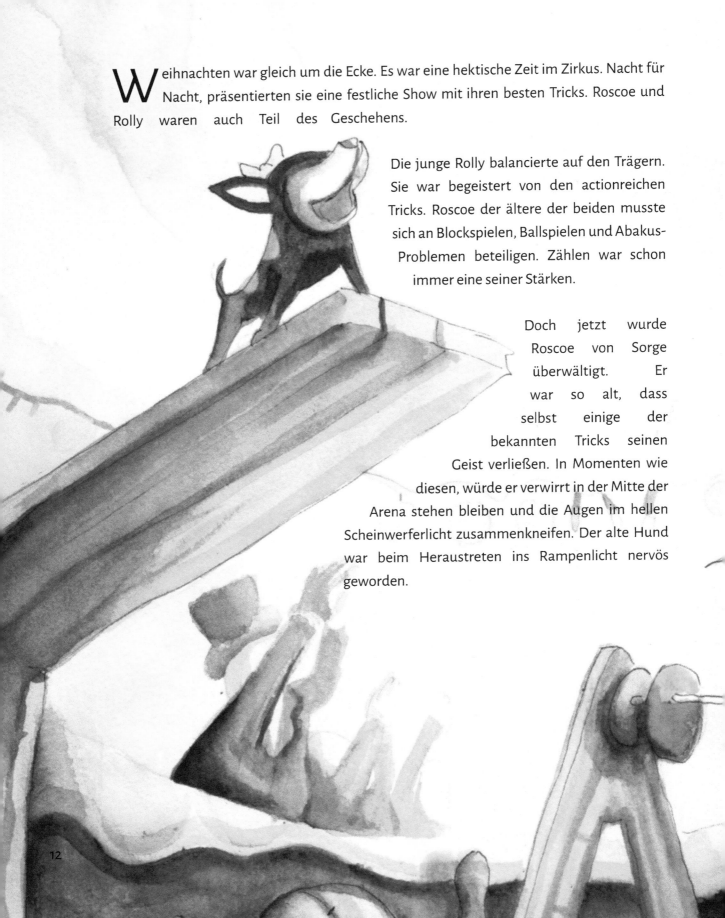

Weihnachten war gleich um die Ecke. Es war eine hektische Zeit im Zirkus. Nacht für Nacht, präsentierten sie eine festliche Show mit ihren besten Tricks. Roscoe und Rolly waren auch Teil des Geschehens.

Die junge Rolly balancierte auf den Trägern. Sie war begeistert von den actionreichen Tricks. Roscoe der ältere der beiden musste sich an Blockspielen, Ballspielen und Abakus-Problemen beteiligen. Zählen war schon immer eine seiner Stärken.

Doch jetzt wurde Roscoe von Sorge überwältigt. Er war so alt, dass selbst einige der bekannten Tricks seinen Geist verließen. In Momenten wie diesen, würde er verwirrt in der Mitte der Arena stehen bleiben und die Augen im hellen Scheinwerferlicht zusammenkneifen. Der alte Hund war beim Heraustreten ins Rampenlicht nervös geworden.

12

13

Nun war Roscoe wieder an der Reihe. Er begann sein Bravourstück, Kopfrechnen. In der Regel waren Zahlen ein Kinderspiel für ihn. Doch dann geschah etwas ziemlich trauriges.

Der Hundetrainer warf schnell eine Gleichung nach der anderen vor Roscoe. Die ersten von ihnen konnte er mit Leichtigkeit lösen. Roscoe gab die richtigen Antworten durch bellen oder durch holen der richtigen Zahlen vom Stand. Das Publikum belohnte ihn mit Applaus. Aber dann ging alles drunter und drüber.

Roscoe's Kopf war wie ein Karussell, wo Fragen wild durcheinander wirbelten, aber richtige Antworten nirgends zu finden waren. Beschämt lief Roscoe schließlich aus der Arena, so dass Rolly den Auftritt auf eigene Faust beenden musste.

Die Show ging zu Ende und das Publikum verließ das Zirkuszelt. Der alte Roscoe machte sich nach seiner gescheiterten Leistung rar. Rolly war besorgt, als sie ihren Freund nirgends finden konnte.

16

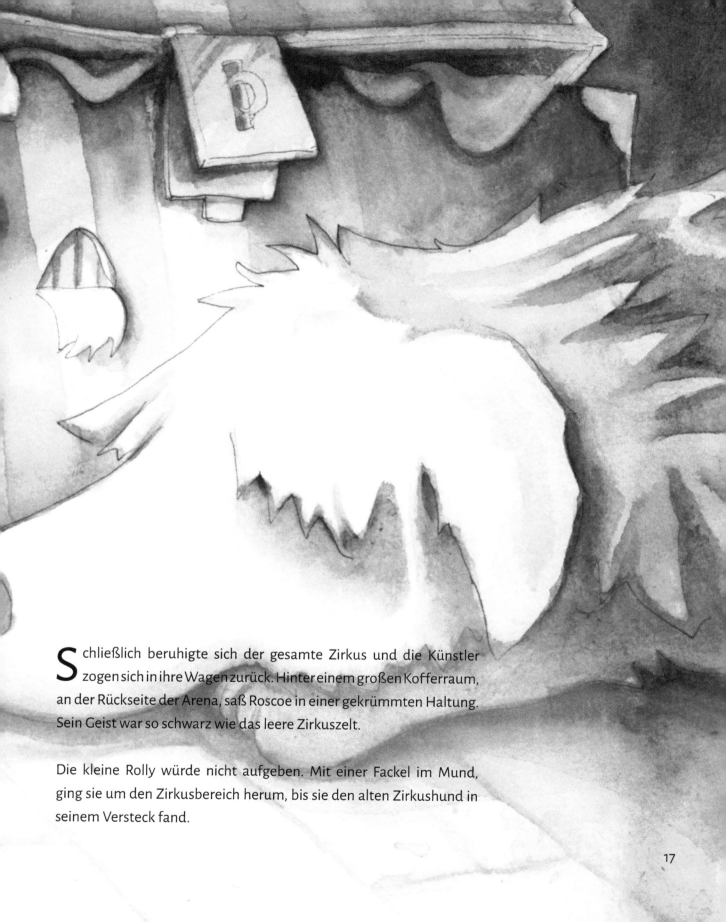

Schließlich beruhigte sich der gesamte Zirkus und die Künstler zogen sich in ihre Wagen zurück. Hinter einem großen Kofferraum, an der Rückseite der Arena, saß Roscoe in einer gekrümmten Haltung. Sein Geist war so schwarz wie das leere Zirkuszelt.

Die kleine Rolly würde nicht aufgeben. Mit einer Fackel im Mund, ging sie um den Zirkusbereich herum, bis sie den alten Zirkushund in seinem Versteck fand.

Rolly hatte es geschafft, ihren Freund davon zu überzeugen im Zwinger zu übernachten. Dort, im Schein der Fackel, blieben sie bis spät in die Nacht auf und versuchten, herauszufinden, wie man Roscoe's Problem lösen könnte.

„Ich kann keine neuen Tricks mehr lernen und kann mich nicht einmal an die alten erinnern," seufzte Roscoe resigniert.

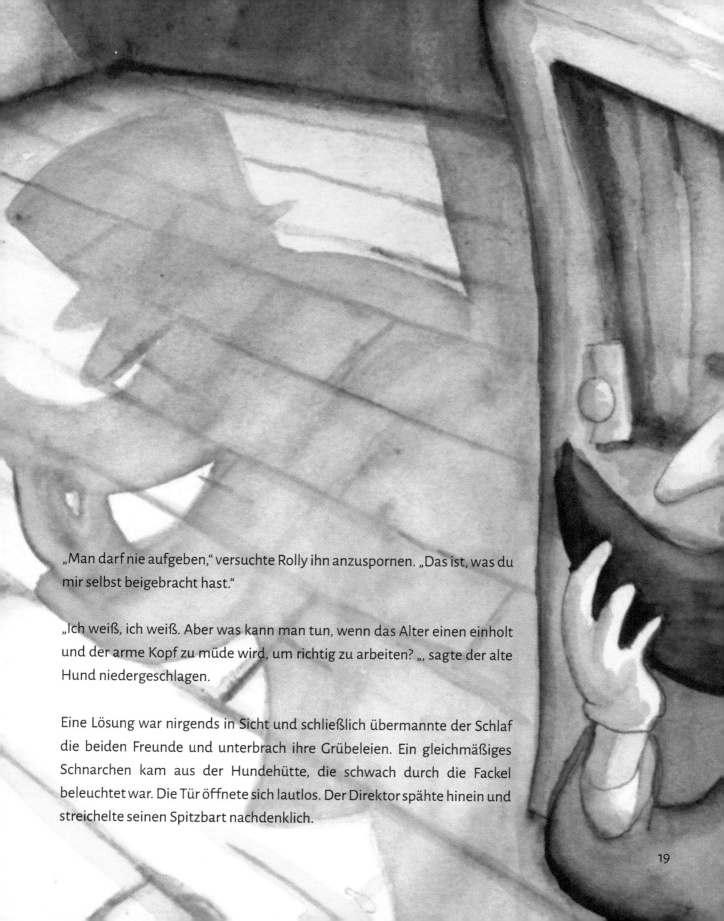

„Man darf nie aufgeben," versuchte Rolly ihn anzuspornen. „Das ist, was du mir selbst beigebracht hast."

„Ich weiß, ich weiß. Aber was kann man tun, wenn das Alter einen einholt und der arme Kopf zu müde wird, um richtig zu arbeiten? „, sagte der alte Hund niedergeschlagen.

Eine Lösung war nirgends in Sicht und schließlich übermannte der Schlaf die beiden Freunde und unterbrach ihre Grübeleien. Ein gleichmäßiges Schnarchen kam aus der Hundehütte, die schwach durch die Fackel beleuchtet war. Die Tür öffnete sich lautlos. Der Direktor spähte hinein und streichelte seinen Spitzbart nachdenklich.

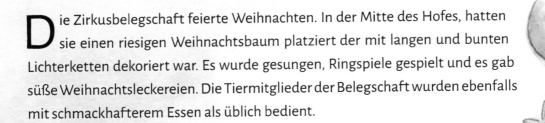

Die Zirkusbelegschaft feierte Weihnachten. In der Mitte des Hofes, hatten sie einen riesigen Weihnachtsbaum platziert der mit langen und bunten Lichterketten dekoriert war. Es wurde gesungen, Ringspiele gespielt und es gab süße Weihnachtsleckereien. Die Tiermitglieder der Belegschaft wurden ebenfalls mit schmackhafterem Essen als üblich bedient.

Roscoe hatte gar keinen Appetit. Er hatte gerade erfahren, dass eine neue Nummer im Begriff war, in das festliche Saisonfinale eingeführt zu werden. Rolly würde als eine führende Rolle bei der Hundenummer debütieren. Roscoe hätte nur eine untergeordnete Rolle als Assistent.

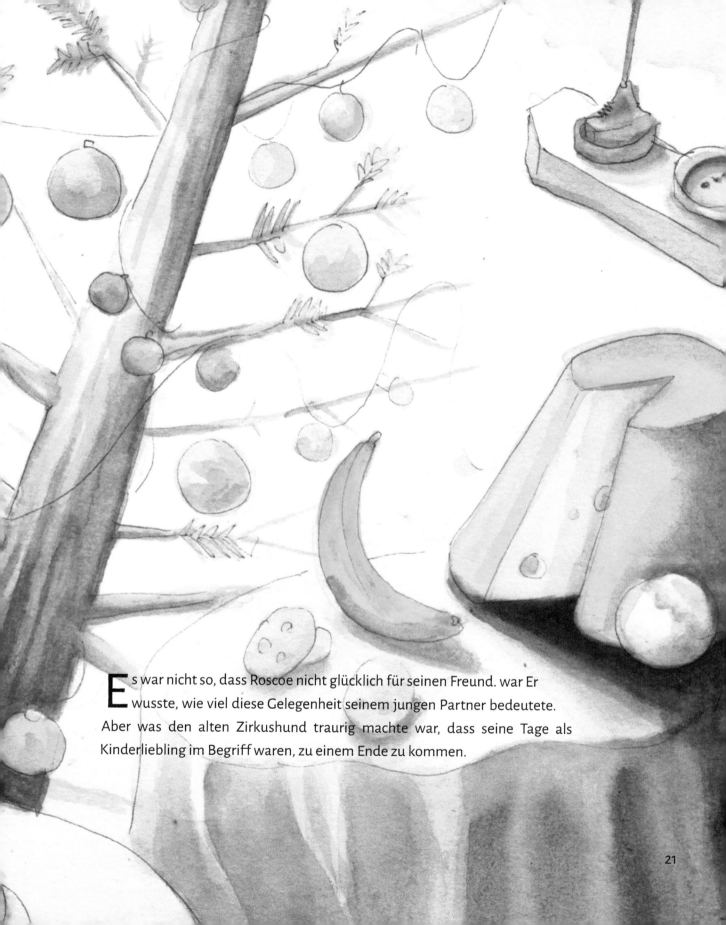

Es war nicht so, dass Roscoe nicht glücklich für seinen Freund. war Er wusste, wie viel diese Gelegenheit seinem jungen Partner bedeutete. Aber was den alten Zirkushund traurig machte war, dass seine Tage als Kinderliebling im Begriff waren, zu einem Ende zu kommen.

Die Jubiläumsshow des Zirkus war prächtiger als je zuvor. Freudenschreie erfüllten die Luft. Die Kinder jubelten und klatschten in Aufregung. Auch die Erwachsenen fühlten sich wieder jung, als sie die unglaublichen Stunts der Darsteller beobachteten.

Rolly, der neue Stern, sonnte sich im Rampenlicht. Der junge Welpe genoss jeden Moment. Zufrieden sah der alte Roscoe den Auftritt seines Lehrlings. Sie tanzte sich einfach hindurch. Rolly hatte ganz klar ihre Berufung gefunden.

Als die Show zu Ende ging, geschah etwas Unerwartetes. Eine aufgebrachte Frau lief in die Arena und bat darum mit dem Direktor zu sprechen.

as Publikum verstummte. Der Direktor räusperte sich und schnappte sich das Mikrofon.

„Liebe Freunde. Wir brauchen nun jedermanns Hilfe", sagte er ernst. „Die Tochter dieser Dame hier ist verschwunden. Wir sollten besser alle nach ihr suchen. „

Das Zelt wurde von Geschwätz und Aufregung erfüllt. Das Publikum teilte sich auf, um nach dem vermissten Kind zu suchen. Sie gingen hin und her, hierhin und dorthin, suchten drinnen und draußen. Sie alle gaben ihr Bestes, aber vom Kind fehlte jegliche Spur.

Die besorgte Mutter ging durch den Hof und lief mehrmals um das Zelt. Schließlich brach sie in Tränen aus und drückte ihre Wange an den weichen Teddy Ihres Kindes.

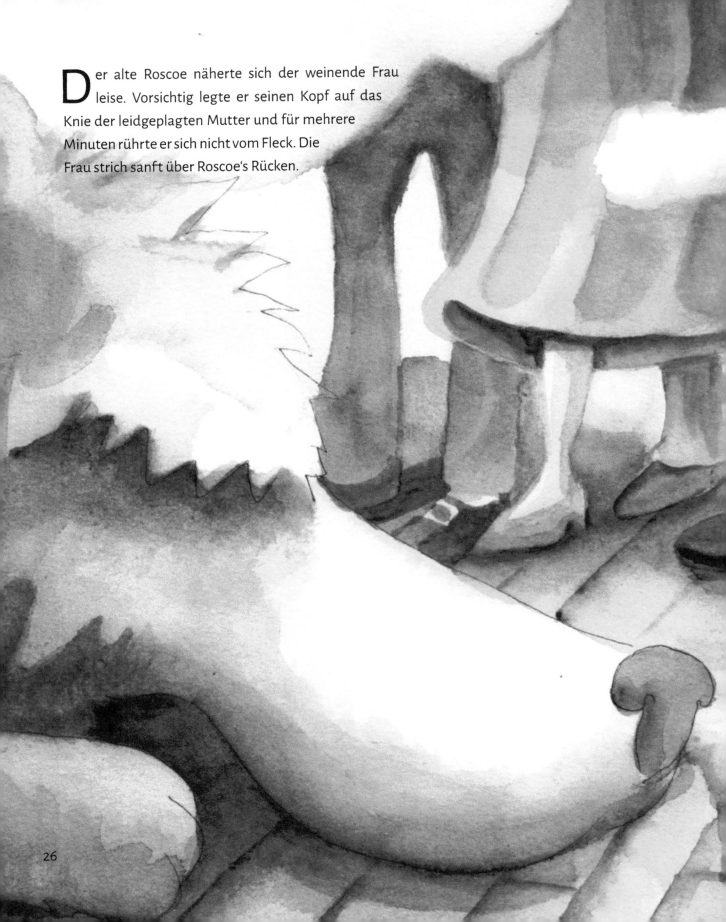

Der alte Roscoe näherte sich der weinende Frau leise. Vorsichtig legte er seinen Kopf auf das Knie der leidgeplagten Mutter und für mehrere Minuten rührte er sich nicht vom Fleck. Die Frau strich sanft über Roscoe's Rücken.

26

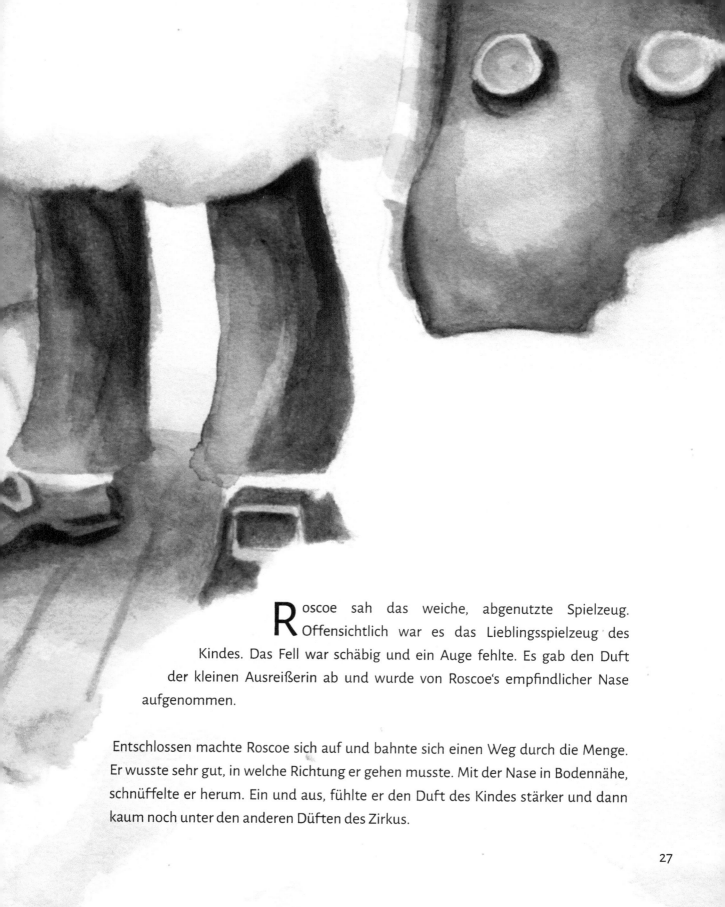

Roscoe sah das weiche, abgenutzte Spielzeug. Offensichtlich war es das Lieblingsspielzeug des Kindes. Das Fell war schäbig und ein Auge fehlte. Es gab den Duft der kleinen Ausreißerin ab und wurde von Roscoe's empfindlicher Nase aufgenommen.

Entschlossen machte Roscoe sich auf und bahnte sich einen Weg durch die Menge. Er wusste sehr gut, in welche Richtung er gehen musste. Mit der Nase in Bodennähe, schnüffelte er herum. Ein und aus, fühlte er den Duft des Kindes stärker und dann kaum noch unter den anderen Düften des Zirkus.

Er verließ das Zelt und das aufgeregte Publikum hinter sich. Roscoe ging weiter und gelangte schließlich zu den Toren des Zirkus. Die Leuchtreklame flackerte langsam in der Dunkelheit der Nacht. Die Abendkasse war leer, und es war niemand in der Nähe. Doch Roscoe war sich sicher, dass das Kind irgendwo in der Nähe war. Es gab keinen Zweifel, der Duft war derselbe.

Immer wieder ging der Hund um die Abendkasse. Die Tür war verschlossen. Schließlich richtete Roscoe sich gegen sie und drückte die Türklinke nach unten. In der hinteren Ecke des Büros, auf einer abgenutzten Bank, schlief ein kleines Kind.

Die Kleine erwachte nach dem Öffnen der Tür. Zuerst war sie etwas erschrocken als sie den Hund sah. Das Kind hatte sich heimlich davon geschlichen und ging dabei verloren. Durch das blinkende Neon-Licht angelockt, stoppte sie an der Abendkasse und hatte sich versehentlich im Inneren eingeschlossen.

Dem immerzu freundlichen Roscoe gelang es, das Kind zu beruhigen. Der Hund entdeckte einen Mantel, der vom Ticket-Verkäufer in der Kleiderablage liegengelassen wurde und legte diesen sanft auf die kleine Ausreißerin. Dann trat er hinaus und begann laut zu bellen. Er würde nicht aufhören, bis ihn die Suchtrupps bemerkten.

Die Mutter und der Direktor waren die ersten, die am Tor ankamen. Freude und Erleichterung waren überwältigend, als die Mutter ihr kleines Mädchen in ihre Arme schloss. Roscoe war erfreut, beobachtete sie von der Seite.

„Danke, du treuer Hund," die Frau seufzte und tätschelte Roscoe. „Du bist ein wahrer Held. Dieser Zirkus kann sicher stolz auf dich sein. „

„Das ist richtig", antwortete der Direktor, zufrieden. „Ich kann Ihnen versichern, Roscoe, unser heldenhafter Hund, wird immer einen Platz in diesem Zirkus haben. Die Kinder brauchen ihn."

31

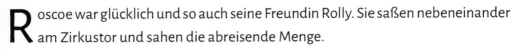

R oscoe war glücklich und so auch seine Freundin Rolly. Sie saßen nebeneinander am Zirkustor und sahen die abreisende Menge.

Die Gefährten waren überglücklich über die Möglichkeit, weiterhin zusammen im Zirkus zu arbeiten. Roscoe würde sicherlich bei vielen Aufgaben von Nutzen sein. Mit einem so hoch entwickelten Geruchssinn, könnte er jede Menge lustiger Aufgaben lösen und könnte die Massen begeistern.

Das Alter hatte Roscoe's Sehkraft geschwächt, aber sein Geruchssinn war genauso empfindlich wie zuvor. Insbesondere der Geruch eines Kindes, war etwas, das er nie vergessen würde. Egal wie alt er wurde.

33

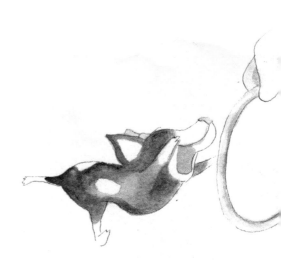

Lightning Source UK Ltd.
Milton Keynes UK
UKHW021054160421
382047UK00002B/126